AI와 함께 그리는
환상적인 피크닉, 캠핑 그리고 축제

이규희, 이주영, 신미숙

AI와 함께 그리는 환상적인 피크닉, 캠핑 그리고 축제

발   행 | 2024년 4월 29일

저   자 | 이규희, 이주영, 신미숙

디 자 인 | 어비, 미드저니

편   집 | 어비

펴 낸 이 | 송태민

펴 낸 곳 | 열린 인공지능

등   록 | 2023.03.09(제2023-16호)

주   소 | 서울특별시 영등포구 영등포로 112

전   화 | (0505)044-0088

이 메 일 | book@uhbee.net

ISBN | 979-11-94006-14-5

www.OpenAIBooks.com

AI와 함께 그리는
환상적인 피크닉, 캠핑 그리고 축제

이규희, 이주영, 신미숙

목차

2장 이주영

머리말

작가소개 및 작가의 말

1) 축제

    1-1 축제와 열기구

    1-2 축제의 거리

    1-3 팝콘과 하트 솜사탕 (축제음식)

    1-4 치킨과 맥주 (축제음식)

    1-5 회전목마

2) 캠핑

    2-1 캠핑이야기

    2-2 캠프파이어와 밤하늘

    2-3 바비큐파티

    2-4 캠핑카와 캠프파이어

    2-5 소원을 말해봐

3) 피크닉

    3-1 혼자 가는 소풍

    3-2 호숫가 피크닉

    3-3 피크닉 테이블

    3-4 딸기와플

    3-5 딸기와플 2

3장 신미숙

머리말

작가소개 및 작가의 말

1) 축제

    1-1 축제와 풍선

    1-2 꼬마 숙녀의 춤

    1-3 열기구 풍선

    1-4 크리스마스 축제와 나

    1-5 바닷가 모래 축제에 간 소녀

2) 캠핑

    2-1 텐트와햇님

    2-2 바닷가와 캠핑카

    2-3 캠핑카와 의자

    2-4 캠핑중 냇물과 안락의자

    2-5 텐트와 불멍

3) 피크닉

    3-1 소풍과 친구들

    3-2 소풍도시락 미국센트럴파크에서

    3-3 소풍도시락 남산에서

    3-4 바다에서 소풍중인 소년

    3-5 소풍바구니와 과일

AI와 함께 그리는
환상적인 피크닉, 캠핑 그리고 축제

이규희, 이주영, 신미숙

1장 저자 이 규 희

머리말

인공지능 그림의 매혹적인 세계에 오신 것을 환영합니다! 최첨단 기술의 힘을 활용한 AI 드로잉은 창의성과 혁신을 결합합니다. 이러한 디지털 작품은 알고리즘에 의해 제작되며 복잡한 패턴과 데이터를 사용하여 독특하고 매혹적인 디자인을 생성합니다.

수많은 분야에 인공지능을 활용하여 다양한 작업이 가능한 시대입니다. 그 만큼 인공지능을 다룰 수 있는 능력도 중요해졌죠.

초보 AI 사용자도 쉽게 지시어만 입력하면 멋진 드로잉을 결과로 만날수 있습니다. 이 컬러링 북에서 AI 가 만든 그림의 무한한 가능성을 탐구하면서 예술과 기술의 시너지 효과를 느껴보세요.

저자 이규희 소개

디지털을 쉽게 알려주는 디지털강사이다. 새로운 디지털환경을 먼저 경험해 보고 좀 더 쉽게 접할수 있도록 안내해 준다.
디지털강사동아리 '디티버스'로 활동하고 있고
현재 팟캐스트 '미식화성'운영하고 있으며, 미디어센터에서 팟캐스트 제작 강의를 진행하고 있다.

SNS 에서 디지털이지쌤으로 활동하고 있다

블 로 그   blog.naver.com/ezssam_dt
인스타그램   instagram.com/digital_easyssam
유 튜 브   youtube.com/@digital_easyssam

이규희

2장 저자 이 주 영

머리말

AI 와 함께하는 그림의 세계로 여러분을 초대합니다. 환상적인 축제와 피크닉 그리고 캠핑을 담아 두었어요. 모두에게 즐거운 힐링 타임을 선사해 드릴게요.

그림동화작가 셜록언니(이주영), 그리고 AI 의 상상력을 가득 채워 그려낸 그림들과 함께 마음속으로 여행을 떠나보세요.

피크닉의 신선한 바람, 캠핑 속 자연의 소리, 축제의 환희를 느낄 수 있는 그림을 색칠하면서 오늘의 기분도 맑게 색칠되기를 바랍니다.

저자 이주영 소개

늘 즐겁게 살고 싶은 셜록언니 이주영입니다. 에세이와 동화, 그리고 그림을 통해 여러 이야기를 전해드리는 작가이기도 하고요. 디지털 세상에서 모두가 자유로울 수 있도록 누군가의 손을 잡고 함께 걷는 디지털튜터이기도 합니다.

제가 전해드리는 작은 이야기들이 모여 당신에게 닿았을 때, 당신의 하루가 평안하길 바라며 그림을 전합니다.

블 로 그   blog.naver.com/5211420
인스타그램 @sherlock_sis
유 튜 브   youtube.com/@sherlocksis

이주영

3장 저자 신 미 숙

머리말

이 컬러링북은 인공지능 기술을 활용하여 제작되어진 독특하고 창의적인 그림들로 채워져 있습니다.

인공지능 기술은 예술 분야에서도 새로운 가능성을 열어주고 있으며, 미드저니는 그 대표적인
예입니다. 미드저니는 사용자가 표현하고 싶은 명령어를 입력하여 그림을 그리게 되며, 이 그림들은
다시 인간의 상상력을 뛰어넘는 독특한 시각적 경험을 선사합니다.

AI 가 만든 그림, 당신의 상상력을 깨워줍니다
이 컬러링북을 통해 당신의 상상력을 마음껏 펼쳐보시고, 즐거운 시간 보내시기 바랍니다.

저자 신미숙 소개

디지털 시대를 살아가는 모두에게 즐거움과 정보를 전하는
디지털 강사 신미숙 입니다.

시민들을 대상으로 정보화 수업을 진행하며 디지털 기술의 중요성을 알리고, 영상편집 및 스마트폰
활용 수업을 통해 학생들에게 창의적인 콘텐츠 제작 방법과 스마트폰 활용 수업을 진행하고
있습니다.

"누구나 쉽게 디지털 기술을 배우고 활용할 수 있도록
돕고 싶다"는 목표를 가지고 있습니다. 이번 컬러링북을 만들게 된 이유도 인공지능 기술의
놀라움을 경험하고 누구나 쉽게 창의력을 발휘할 수 있도록 돕고 싶었기 때문입니다.

블로그: blog.naver.com/misukino
유튜브: youtube.com/@user-uw6yd7zf7t)
인스타: instagram.com/yeoljeongyidaiamondeu

신미숙